Tennis kids

1 · RAMASSEURS DE GAGS

Scénario
Céka

Dessins
Le Sourd

Couleurs
Dawid

BAMBOO
ÉDITION

Au Tennis Club Neufchâtel, où j'ai tapé mes premières balles.
À l'USCB Tennis Bois-Guillaume, où mon fils Arthur a tenté de prendre le relais.
Et un grand merci à Patrice, à Olivier et à toute l'équipe Bamboo !

Céka

À Nelly et mes deux garçons, Louis et Jules.
Merci à Olivier pour sa confiance et à toute l'équipe Bamboo pour son travail.
Un grand merci à Erick pour cette année de gags…

Le Sourd

www.bamboo.fr

 La fabrication de cet album répond au processus de développement durable
engagé par Bamboo édition. Il a été imprimé sur du papier certifié PEFC.

© 2014 BAMBOO ÉDITION

116, rue des Jonchères - BP 3
71012 CHARNAY-LÈS-MÂCON cedex
Tél. 03 85 34 99 09 - Fax 03 85 34 47 55
Site Web : www.bamboo.fr
E-mail : bamboo@bamboo.fr

PREMIÈRE ÉDITION
Dépôt légal : mai 2014
ISBN : 978-2-8189-3085-4

Imprimé en France
Printed in France

Une invention scotchante

Un adversaire béton

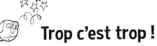

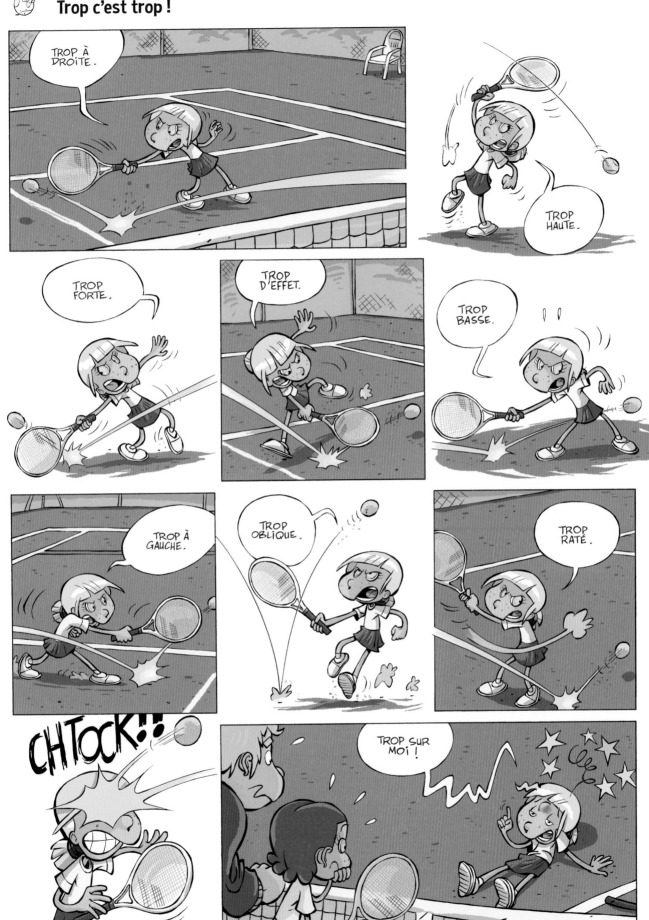

Chaud shot

GREG, ON SE DEMAN-
DAIT, ÇA VEUT DIRE
QUOI AU JUSTE
PASSING-SHOT ?

VOUS NE POUVIEZ
PAS MIEUX TOMBER,
LES FILLES. JE SUIS'
ZE SPÉCIALISTE
DU CLUB !

LE PASSING-SHOT, ÇA
CONSISTE À PASSER UN
JOUEUR QUI MONTE AU
FILET SANS QU'IL
ARRIVE À TOUCHER
LA BALLE ...

PAF !

C'EST L'ARME
FATALE !

UN PEU COMME
L'UPPERCUT DU
BOXEUR, LE IPPON
DU JUDOKA ...

... OU LE
"PAN, T'ES MORT"
DU COW-BOY !

ET ÇA PEUT SE DIRE
AUSSI POUR UN JOUEUR
QUI SE FAIT PASSER EN
FOND DE COURT ?

EN FOND
DE COURT ?!

AH NON, PAS
DU TOUT DU TOUT ...

LÀ, ON PARLE
PLUTÔT D'UNE
PASSOIRE !

EH BIEN, AU CLUB
AUSSI, ON A
ZE SPÉCIALISTE !

En plein boum

 **Y a un os !**

MOI, CE QUE JE DÉTESTE DANS LE TENNIS, C'EST RAMASSER LES BALLES.

M'EN PARLE PAS, RIEN QUE D'Y PENSER, J'AI UN POINT DE CÔTÉ !

ENFIN, CE QUE JE DÉTESTAIS CAR TATATAAA...

J'AI DRESSÉ WAFOU À LE FAIRE À MA PLACE !

TU VAS VOIR, C'EST UN VRAI CHAMPION ...

ET T'AS MÊME PAS À LUI OFFRIR UNE CANETTE EN FIN DE PARTIE !

GÉNIAAAL, JE PEUX ESSAYER POUR VOIR ??

VAS-Y, BALANCE !

HÉ, HÉ, T'AS VU LE DÉMARRAGE DE BEAU GOSSE !

DÉJÀ ?!

TROP FORT LE DRESSAGE !

HEU, DIS DONC, IL A PAS UN BUG QUELQUE PART TON RAMASSEUR DE BALLES ?

OUPS,...

De la bombe

ALLEZ, UN P'TIT COUP DE FINITION SUR LES LIGNES, ET LES COURTS SERONT PERFECTO !

MAMAM¡¡¡¡¡A !!!

C'EST QUOI ÇA ?!

UN SANGLIER EN FURIE !

NOOON, UN TROUPEAU TOUT ENTIER !!!

OU ENCORE PIRE...

LA TROISIÈME GUERRE MONDIALE !!!

TOUS AUX ABRIS, TOUS AUX ABRIS !!!

TOUS AUX ABR...?!?

OUI, VOUS DEVRIEZ ESSAYER, LES AMIS,..

... LES CHAUSSURES DE FOOT, C'EST DE LA BOMBE POUR COLLER AU TERRAIN !!!

Tics et tocs

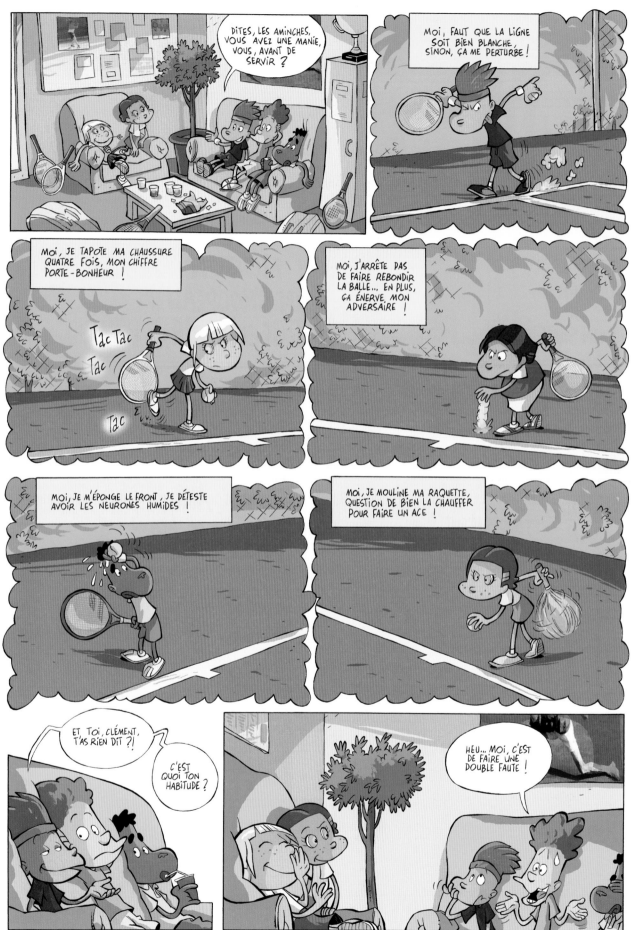

Le sommet des dieux

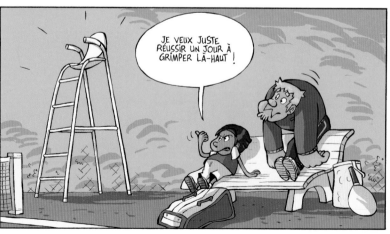

15

Coach virtuel

SALUT LES AMINCHES !

SALUT CLÉMENT !

WOUAH, LA CLASSE INTERNATIONALE TA NOUVELLE MONTRE !

TEUT, TEUT, JE VOUS ARRÊTE TOUT DE SUITE...

CECI N'EST PAS UNE MONTRE, MAIS UN...

... COACH VIRTUEL !

NUANCE !

C'EST **LE** MODÈLE UTILISÉ PAR LES PLUS GRANDS CHAMPIONS ACTUELS...

...ET À VENIR !

DÈS QUE JE L'ALLUME, ÇA ME DONNE DES CONSEILS DE OUF...

ET EN TEMPS RÉEL !

POSITIONNEMENT SUR LE COURT...

OPTIMISATION DE MES FRAPPES...

STRATÉGIES DE JEU...

GESTION DE LA FATIGUE...

ALLEZ, C'EST PARTI POUR UNE PETITE DÉMO !

ÉCARTEZ-VOUS ET ADMIREZ LA MERVEILLE...

CLIC

JOUEUR TROP NUL... AUTODESTRUCTION ENCLENCHÉE... JOUEUR TROP NUL... AUTODESTRUCTION ENCLENCHÉE...

?!?

?!

PSSCH

Terre terre

RAPHAËL, RAPHAËL, TU SAIS QUOI ?!

ÇA Y EST, J'AI PÉTÉ MA TOUTE PREMIÈRE CORDE !

MAIS COMMENT T'AS FAIT ? TU TAPES À PEINE DANS LA BALLE.

ET ENCORE, QUAND TU LA TOUCHES...

TU TOMBES BIEN, JE VIENS DE FINIR MA TOUTE NOUVELLE MACHINE À CORDER LES RAQUETTES.

ELLE EST ÉQUIPÉE D'UN CAPTEUR NEURONAL DE MON INVENTION.

C'EST QUOI CE TRUC ?!

SI TU PRÉFÈRES, ÇA TEND LE CORDAGE EN FONCTION DE TON STYLE DE JEU...

UNE TENSION SUR MESURE, GÉANT !

JE VAIS ENFIN POUVOIR RÉVÉLER LE JOUEUR QUI EST EN MOI !

TIENS, ASSIEDS-TOI LÀ !

TU VAS VOIR, ÇA PREND UNE MINUTE...

ET HOP, C'EST PARTI !

BZIIIIIIII...

PEU APRÈS...

CORDAGE TERMINÉ... 2 DE TENSION... CORDAGE TERMINÉ... 2 DE TENSION...

C'EST BIZARRE, ÇA...

HEU... ON DIRAIT UN FILET À PAPILLONS ?!

Bon et re-bon

Coup de pompe

COMPRIS ? VOUS ARMEZ VOTRE BRAS, COMME Ç... ?!

BiLiBiLiP

HÉ, SALUT TITI !

JE TE RAPPELLE PLUS TARD. LE PROF EST EN PLEIN BLABLA... J'ENTENDS PAS TRÈS BIEN...

DONC. JE DISAIS, VOUS ARMEZ VOTRE BRAS, COMM... ?!

TRiiii!

DRiiiLL... DRiiiLL...

ALLÔ ? TU DIS QUOI ?!

PARLE MOINS, FORT, GREG ! TU VOIS BIEN QU'ON M'APPELLE !

HOOOO, C'EST PAS UN PEU FINI VOTRE FANFARE !!!

LE PROCHAIN TÉLÉPHONE QUE J'ENTENDS, C'EST 50 POMPES, ILLICO !

POUÊT POUÊÊÊT POUÊT

SOURIS, GREG, C'EST POUR DAILYTUBE !

PLUS BAS, GREG, PLUS BAS... BIEN DROIT, LE DOS...

CLIC

24 25 26...

WOUAH, VOUS SAVEZ QUOI, LES AMINCHES ?!

ET C'EST GARANTI SANS ERREUR, J'AI TOUT VÉRIFIÉ À LA CALCULETTE ...

VAS-Y, ENVOIE TA THÉORIE, EINSTEIN !

TCHAC TCHAC TCHAC

SI ON MARQUE **TOUS** LES POINTS SANS EN LAISSER **UN SEUL** À L'ADVERSAIRE...

EH BIEN...

IL SUFFIT DE **48 POINTS** SEULEMENT POUR GAGNER UN MATCH !!

ET, À RAISON DE 1 mn PAR POINT, ON PEUT DONC PLIER L'AFFAIRE EN 48mn CHRONO.

48mn, TROP OUF, NON ?

MOI, MON RECORD, C'EST 1h05.

MOI, 57 mn !

MOI, 52 !

HÉ, HÉ, JE VOUS ÉCRASE TOUS, LES MINABLES ...

ET HAUT LA MAIN !!!

MOI, J'AI RÉUSSI À PERDRE EN 37 MINUTES CHRONO.

ALORS, C'EST QUI LE PLUS FORT ?

Sot un jour, seau toujours

 **Moral à zéro**

 **Point de non-retour**

ÇA FAIT 7 POINTS À 6 DANS LE TIE-BREAK, BALLE DE MATCH POUR MOI.

HEIN ?!

PAS DU TOUT, ELLE EST À MOI LA BALLE DE MATCH !

N'IMPORTE QUOI, J'AI GAGNÉ LE DERNIER POINT !

HÉ, T'AS SNIFFÉ DE LA TERRE BATTUE OU QUOI ?!

LE DERNIER POINT, C'EST MOI QUI L'AI GAGNÉ...

SUR LA VOLÉE !

AH, NON, ELLE ÉTAIT FAUTE D'1 KM !

ÇA FAIT 7 POINTS À 6 POUR MOI !

VOLEUR À DEUX BALLES !!

NON C'EST LE CONTRAIRE !

RAQUETTEUR DE POINTS !

ALORS, DIMITRI... FINALEMENT, QUI A GAGNÉ LE DERNIER POINT ?

LE DERNIER POING ?!

DEVINEZ.

25

Quelle patate !

Attention boulet

Concentré, concentré

Et une victoire, une

Silence, ça tourne

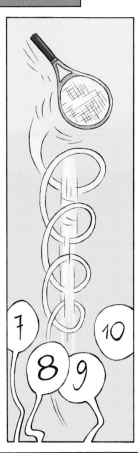

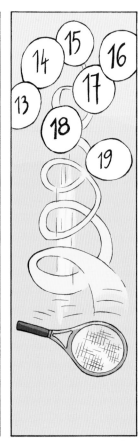

Trouv... aïe !

FINIS LES PROBLÈMES D'ARBITRAGE, LES DISCUSSIONS SANS FIN, LES ÉNERVEMENTS POUR RIEN.

REGARDEZ, LES AMINCHES !

JE VOUS PRÉSENTE MA NOUVELLE TROUVAILLE: LA "BIP Ball®" !

MAIS... ELLE A L'AIR TOUT À FAIT NORMALE, TA BALLE ?!

PAS DU TOUT DU TOUT... COMME LE DIT SON NOM, ELLE BIPE QUAND ELLE EST FAUTE !

ET PAS D'ERREUR POSSIBLE ?

NON, ELLE A UNE PRÉCISION AU NANOPOIL DE MOUCHE PRÈS !

LÀ, JE DIS " OLA" GÉNÉRALE !

OUI, JE ME DEMANDE COMMENT PERSONNE N'Y A PENSÉ AVANT !

DIS, ON PEUT L'ESSAYER ?

HEU, NON... J'AI ENCORE UN MICRO DÉTAIL À RÉGLER DESSUS, C'EST... C'EST

?!

CRRR...

?!

GHTOCK!

C'EST SON POIDS, C'EST ÇA ?

BIP BIP BIP

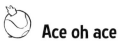 **Ace oh ace**

J'EN AI RAS LE SHORT...

À CHAQUE FOIS, C'EST LA MÊME RENGAINE !

Y EN A PAS UN POUR ARROSER LE COURT !

PAS UN !

PFUH, C'EST AGAÇANT À LA FIN...

C'EST ENCORE MOI QUI VAIS DEVOIR M'Y COLLER !

FAUT QUE JE M'Y FASSE, JE DOIS AVOIR UNE TÊTE DE POMME D'ARROSOIR ?

ATTENDS, GREG, JE VAIS LEUR DEMANDER...

C'EST PAS À TOI DE FAIRE ÇA !

C'EST SYMPA, GIGI, MAIS C'EST PEINE PERDUE.

AUTANT DEMANDER À UN PITBULL DE PORTER UN TUTU.

AU SECOURS, LE COURT EST EN FEU !

VITE, IL ME FAUT D'URGENCE DES POMPIERS !

MOI !

NON, MOI !

NON, J'VEUX L'FAIRE !

MOI !

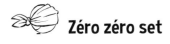

ALLEZ, C'EST L'HEURE !

GLEURPS, DÉJÀ ?!

AVANCE SANS FAIRE D'HISTOIRE.

NOOONNN

NONNN, PAS ÇA...

TU VEUX UN BANDEAU SUR LES YEUX ?

PITIÉ JE T'EN PRIE...

TU AS UNE DERNIÈRE VOLONTÉ ?

PITIÉ, JE MÉRITE PAS ÇA !

NONNNN

PELOTON, À MON COMMANDEMENT...

ALORS, ON RESSENT QUOI À 6/0 - 5/0 - 40/0 ?

NONNN, PAS ÇAAA, PAS ÇAAA...

34

Trop de la balle

Le roi de la glisse

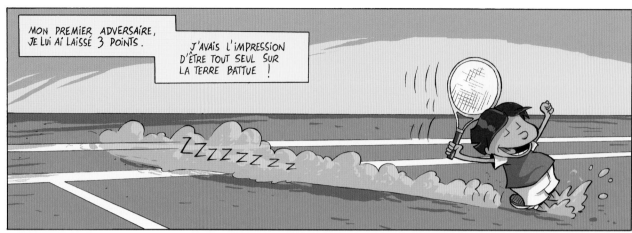

MON PREMIER ADVERSAIRE, JE LUI AI LAISSÉ 3 POINTS.

J'AVAIS L'IMPRESSION D'ÊTRE TOUT SEUL SUR LA TERRE BATTUE !

ZZZZZZZZZ

MON DEUXIÈME, 5 POINTS, IL A PAS VU LE JOUR !

ZZZZZZZZZ

MON TROISIÈME, SEULEMENT 4.

ZE BALADE !!!

ZZZZZZZZZ

ET LE QUATRIÈME, DIMITRI ?

J'Y AI LAISSÉ 12 POINTS...

... 12 POINTS DE SUTURE !

FAUT JAMAIS FAIRE DE GLISSADE SUR UNE SURFACE DURE !

UN QUICK ? AÏE, AÏE, AÏE...

WOUAH, MONSTRE BIEN, TA NOUVELLE TENUE...

OUI, LA CLASSE !

ÇA Y EST LES AMIS, J'AI COMPRIS POURQUOI JE PERDAIS TOUS MES MATCHS !

POUR GAGNER IL FAUT ENTRER DANS LA PEAU D'UN WINNER !

ET LÀ, JE PEUX VOUS LE DIRE, AVEC MA NOUVELLE TENUE, JE SUIS À FOND DEDANS.

TOTAL FUSION !

OUBLIEZ L'ANCIEN CLÉMENT, IL N'EXISTE PLUS...

KAPOUT !

HABILLÉ COMME ÇA, PLUS PERSONNE NE ME FAIT PEUR !

LA VICTOIRE EST EN MOI... JE SUIS LA VICTOIRE !

BONJOUR, JE CHERCHE MON ADVERSAIRE.

FINISSONS-EN VITE, J'AI PEU DE TEMPS.

CLÉMENT ? REVIENS, CLÉMENT ?!

QUI SE DÉVOUE POUR UN BOUCHE-À-BOUCHE ?

Champions en herbe

Trop ball'èze

Serial ramasseur

Match de haut vol

Qui c'est les plus forts

Retrouve-nous dans tennis+

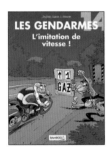

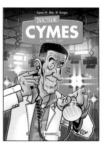

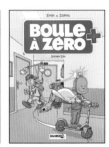